PARA SER CATOLICO

UN CATECISMO PARA HOY

PARA SER CATOLICO

Un Catecismo para Hoy

Joseph V. Gallagher, C.S.P.

Traducción española de

Ricardo Arias

Paulist Press

New York/Paramus/Toronto

Apareció originalmente en inglés con el fítulo de: TO BE A CATHO-
LIC—A CATECHISM FOR TODAY, By Joseph V. Gallagher, C.S.P.
Paulist Press, New York/Paramus/Toronto, 1970.

NIHIL OBSTAT:
Rev. Stanley J. Adamczyk
Censor Librorum

IMPRIMATUR:
✠Peter L. Gerety, D.D.
Arzobispo de Newark

27 de octubre, 1975

El *Nihil Obstat* y el *Imprimatur* son declaraciones oficiales de que un
libro o folleto no contiene ningún error doctrinal o moral. Esto no
quiere decir que los que han concedido el *Nihil Obstat* y el
Imprimatur estén de acuerdo con el contenido, las opiniones o afirmaciones que contiene.

Library of Congress
Catalog Card Number: 73-137884

ISBN: 0-8091-1939-0

Published by Paulist Press
Editorial Office: 1865 Broadway, N.Y., N.Y. 10023
Business Office: 400 Sette Drive, Paramus, New Jersey, 07652

Printed and bound in the
United States of America

CONTENIDO

INTRODUCCION

La Religión y Dios

La religión es algo diferente para cada uno. Los hombres son diferentes no sólo en lo que creen sino también en la importancia que le dan y en la manera en que la religión pasa a formar parte de su vida. Este catecismo trata de la religión católica, pero al principio es conveniente hablar de la religión en general ya que sus rasgos y características principales se encuentran también en el catolicismo.

Dios es también algo diferente para cada uno. Muchas veces no es más que una palabra que apenas significa nada para el que la usa. Muchos pueden hablar en serio de Dios aunque no crean en El. Otros tienen fe pero nunca hablan de El. En algunas religiones Dios ocupa un lugar más importante que en otras, y hay algunas en que Dios apenas si es necesario. La religión católica cree que Dios es lo más importante de todo lo que existe, pero comprende que los hombres no siempre se dan cuenta de esto, y que aún cuando se dan cuenta, no es fácil tener ideas muy claras sobre El.

1. ¿Para qué le vale la religión al hombre?

La religión le ayuda a superar las limitaciones de

su mundo y a ponerlo en relación con algo más
grande y misterioso.

2. ¿Es la religión siempre beneficiosa?

No. A veces en vez de ayudar al hombre a salir
de sus limitaciones puede dificultar su bienestar
y desarrollo. Las supersticiones degradantes y
los tabús vienen con frecuencia a substituir a la
religión.

3. ¿Qué es lo que lleva a los hombres a la religión?

Humanamente hablando, la gente se interesa en
lo que les ofrece mayor libertad y mayores
posibilidades de vida. Los hombres quieren
tener completa seguridad sobre ciertas cosas
fundamentales para poder así vivir con alegría y
libertad.

4. ¿De qué quieren estar seguros?

El deseo más profundo es saber quienes son.
Necesitan además sentirse aceptados, con un
propósito en este mundo, saber que sus vidas
son importantes no importa lo que pase.
Finalmente, todos queremos estar seguros de
que la muerte no venga a destruir todo lo que
hemos hecho en la vida. Todas las religiones
tratan de asegurar al hombre de esto, de una u
otra forma.

5. ¿Se proponen también eso la religión cristiana y los católicos?

Sí. Los cristianos y los católicos son también seres humanos.

6. ¿Es la religión algo humano?

Sí lo es, en cuanto que satisface ciertas necesidades fundamentalmente humanas. Pero si la religión logra relacionar al hombre con algo fuera de sí mismo, entonces va más allá de lo humano e implica cosas que tienen que ver con Dios.

7. ¿Quién es Dios?

La palabra Dios es el nombre que dan generalmente los hombres al origen y al significado de nuestra existencia.

8. ¿Es Dios algo real?

Sí. Muchos han llegado a descubrir que la explicación final de la existencia se encuentra en un ser todopoderoso que existe por encima y más allá del hombre y del mundo. Sin embargo, frecuentemente no están de acuerdo en lo que es este ser.

9. **¿Cuándo es Dios algo irreal?**

Cuando no es más que algo inventado por el hombre. Muchas ideas sobre Dios son disparatadas y confusas. Generalmente son exageraciones de algo que han oído sobre Dios. La imaginación y los sentimientos humanos dan el nombre de Dios a algo que está muy lejos de la verdad.

10. **¿Cuáles son algunos de los dioses irreales?**

Ha habido miles y miles a lo largo de la historia. Algunos ejemplos modernos que confunden todavía a los cristianos son: (a) el "Dios mágico" que todo lo arregla cuando uno dice las palabras apropiadas y aprieta los botones debidos; (b) el "Dios de la ley y de la disciplina" que gobierna al mundo según un código muy estricto de conducta, y cuyo deber principal es el juzgar; (c) el "Dios bromista" que tiene claramente planeada la vida de todos y que juega con nosotros como el gato con el ratón, sin saber nunca por qué se porta así. Hay muchos otros dioses falsos, pero ninguno de ellos es el Dios cristiano.

11. **¿Cuándo es Dios algo real?**

El verdadero Dios es siempre real. Se convierte en algo real cuando llegamos a conocerle como persona. Y esto podemos lograrlo estudiando lo que El nos ha revelado de Sí mismo.

12. ¿Por qué es tan importante la propia revelación de Dios?

La única manera de llegar a saber cómo son verdaderamente los demás es a base de lo que podemos conocer de ellos. Para conocer personalmente a Dios tenemos que poner muchísima atención a todo lo que El nos revele sobre Sí mismo.

13. ¿Cómo se revela Dios a Sí mismo?

Se revela en la vida, en la creación, en la historia. Sin embargo, la religión cristiana y la Iglesia católica tienen un interés especial en la manera muy personal en que Dios se ha mostrado y se sigue mostrando a los hombres. Esta revelación está contenida en la Biblia, y los católicos basan en ella tanto el sentido y significado de la vida como su manera de vivir.

I

EL VERDADERO DIOS DEL CRISTIANISMO

*El cristiano está convencido de que Dios es real.
Cree que la explicación final y más profunda de lo
que es el hombre y de lo que significa su vida hay
que encontrarla en otra persona—a la que
conocemos sólo en parte, y que es misteriosa y
poderosa. La manera en que el cristiano llega a esta
conclusión es lo que pudiera llamarse la trama
central de la historia de su vida personal. Suele, en
general, ser el resultado de su educación religiosa,
de las experiencias de su vida, y del convencimiento
interior de la presencia de otro ser. Basándose en
esta fe, los católicos responden como sigue a
continuación a las preguntas más importantes sobre
la vida:*

1. **¿Quién soy?**

   Soy alguien que aspira a la grandeza. Dios es mi
   Padre.

2. **¿Es verdad que mi vida tiene verdadero sentido?**

   Sí. Mi Padre Dios me la ha dado. Soy suyo. Me
   ama y quiere que yo le ame. Esto da sentido a mi
   vida, y en ello emplearé todo lo mejor que
   tengo.

3. ¿Qué papel juego yo en el mundo en que vivo?

Mi Padre Dios hizo este mundo y el universo entero. Me puso en él y de él recibo gran parte de mi vida. A medida que amo más a mi Padre me doy cuenta de que me voy esforzando más para que este mundo crezca y se mejore.

4. La vida humana y el mundo, ¿tienen verdadero valor?

Sí. Dios nuestro padre que lo hizo todo es sumamente poderoso.

5. ¿Cómo puedo saber que soy de Dios?

Jesucristo, el Hijo de Dios, se hizo hombre y hermano mío para enseñarme eso y para mostrarme lo que quiere decir ser de Dios.

6. ¿Qué reveló Cristo sobre el Hijo de Dios?

Por medio de su vida y de sus enseñanzas Jesús mostró que el Hijo es bueno y poderoso, lo mismo que su Padre.

7. ¿Cómo mostró que pertenecía y era de Dios?

Jesús dedicó su vida entera a hacer la labor de Dios y a cumplir la voluntad de su Padre. Esto me enseña que si quiero ser de Dios tengo que ser como Jesús.

8. ¿Por qué es tan importante el tener a Dios por Padre?

Porque mi Padre Dios me da vida y amor, y al dármelos hace que sea para siempre parte de algo más grande que yo.

9. ¿Cómo puedo vivir de acuerdo con esta herencia tan noble?

Mi Padre me da a Dios Espíritu Santo para que viva dentro de mí y sea mi guía al ponerme en contacto con el Padre, para ayudarme a entender sus palabras y para que mi vida y amor sean como los de Jesús (Juan 16, 12-15).

10. ¿Quién es Dios?

Dios es mi Padre, mi Hermano Jesucristo y el Espíritu Santo. Estas Personas sumamente perfectas tienen en común una vida eterna de amor mutuo y de poder creador. A todas ellas juntas les llamo Dios (Juan 14, 8-17).

11. ¿Por qué tiene Dios tres nombres diferentes?

La vida de Dios está tan llena de vitalidad y amor

que la deben vivir tres Personas. Jesús nos enseñó sus nombres.

12. ¿Qué significan esos nombres?

Relacionamos los nombres de cada Persona con las diferentes experiencias que tenemos de Dios. Al Dios que nos da todo lo que tenemos, le llamamos "Padre." Al Dios que se revela a Sí mismo a los hombres, le llamamos "Hijo." Al Dios que vive dentro de nosotros, le llamamos "Espíritu Santo."

13. ¿De quién soy yo?

Mi vida pertenece a las personas más cercanas a mí: a Dios, mi Padre; a Jesucristo, mi Señor y Salvador; al Espíritu Santo, mi maestro y guía interior. También comparto mi vida con la familia, los amigos, los compañeros de trabajo y todos los que se encuentran conmigo.

14. ¿Cómo puedo estar seguro de que la muerte no acabará con todo esto?

Jesucristo me ha librado de ese destino. Debido a El, el Padre comparte conmigo su vida eterna, y el Espíritu Santo me hace tan semejante a Jesucristo que, aunque me muera, mi Padre me resucitará a la vida lo mismo que hizo con su Hijo Jesucristo.

15. ¿Qué sentido tiene mi vida?

Su fin consiste en aceptar la amorosa invitación de mi Padre y esforzarse por conocerlo y amarle cada vez más, y en entregarme más a Dios poniéndome al servicio de los demás.

16. ¿Cuándo lograré alcanzar mi fin?

Lo consigo cada vez que acepto su invitación. Y lo conseguiré completamente cuando me entregue a El por entero en el momento de la muerte.

Así expresa el católico por medio de palabras lo que le enseña la fe sobre los fines últimos de su vida. Lo mismo que la mayoría de los hombres, también él siente a veces una misteriosa presencia dentro de sí mismo. Y en esos momentos se da cuenta de que los confines de su vida no están tan claramente definidos como parece a primera vista. Comprende también que mucho de lo que a él le importa está fuera de su alcance, sumergido en esa misteriosa presencia. Sin embargo, esa experiencia no le sugiere las palabras con que contesta a la pregunta. En realidad no le ofrece ni palabras ni nombres. Los nombres "Padre," "Hijo" y "Espíritu Santo" se las brinda la Iglesia, y ella se los oyó a Jesucristo. El católico los usa en estos problemas porque en cierto momento se ha dado cuenta de que el Dios amoroso de que habla Jesús y la misteriosa presencia interior son una y la misma cosa.

II

JESUCRISTO: HOMBRE Y DIOS

Los hombres llegan a creer en Dios porque les ha revelado algo de Sí mismo. A través de la gente, las experiencias, los acontecimientos y la brega que es la vida, han llegado en cierto modo a vislumbrar a alguien que es parte de todo eso, pero está más allá y por encima de ello, y comienzan a ponerse en contacto con El. La fe verdadera es el resultado de semejantes contactos personales del hombre con Dios.

Los cristianos creen porque están seguros de que Dios se revela a Sí mismo de manera completamente personal en Jesucristo. En Jesucristo se nos revela lo mismo que lo hace cualquier ser humano, es decir, a través de lo que dice y de lo que hace, en su manera de reaccionar, en cómo comunica sus pensamientos y sus sentimientos. En la persona de Jesucristo Dios nos ha revelado todo lo que es capaz de absorber el hombre.

Por esa razón Jesús es el centro de la fe cristiana. El cristiano encuentra en El a Dios y empieza a creer en El. Debido a esto, todo lo que se refiere a Jesucristo es de gran importancia. Lo que dijo y lo que obró, su vida y su muerte, lo que sus amigos llegaron a saber de El—todo esto es importante para la fe cristiana porque nos revela la presencia y el poder de Dios nuestro Padre.

11

1. ¿Por qué es Jesús tan importante?

Porque es la entrada a Dios. Al encontrarnos con El, nos encontramos con Dios hecho persona humana y vemos realmente su amor concreto hacia nosotros. Entendemos lo que enseña y obra Jesús porque son palabras y acciones humanas bien conocidas. Pero aún hay más. Al encontrarle, penetramos también en la misteriosa presencia de nuestro Padre (Juan 10, 7-10).

2. ¿Quién es Jesucristo?

Es Dios; el Hijo del Padre que se hizo hombre (Juan 8, 42-59).

3. ¿Es Jesús hombre?

Sí. El Hijo se hizo verdaderamente hombre. Esto quiere decir que nació en el mundo, vivió como hombre y murió como todos nosotros (Lucas 2, 1-7).

4. ¿Cuándo y dónde vivió?

Hace unos dos mil años, en Israel, que formaba entonces parte del Imperio Romano.

5. ¿Quiénes fueron sus padres?

Su madre fue una joven llamada María. No tuvo padre humano, sino que fue concebido directamente por el Espíritu Santo en María y nació después según el proceso normal. A causa de esta acción extraordinaria de Dios, María ha recibido desde entonces el título de "Virgen Bendita" (Lucas 1, 26-38).

6. ¿Quién fue José?

José fue el esposo de María e hizo de padre putativo de Jesús durante su niñez.

7. ¿Qué sabemos de la vida de Jesús?

Sabemos muy poco de sus primeros años. Sin embargo, al llegar a mayor sabemos que pasó varios años viajando a través de Israel, enseñando a la gente el amor que les tenía su Padre, haciendo curas milagrosas y cosas maravillosas. También sabemos que sus actividades lo pusieron en conflicto con los jefes religiosos del pueblo judío y que, por fin, hicieron que fuese ajusticiado por las autoridades romanas.

8. ¿Dónde se encuentra esta información?

Sobre todo en los cuatro evangelios del Nuevo Testamento.

9. ¿Terminó todo con su muerte?

No. Su Padre lo resucitó a la vida a los pocos días y se apareció a muchos de sus seguidores por algún tiempo, asegurándoles que vivía de verdad e inculcándoles lo que les había enseñado antes. Después dejó de aparecerse y ahora vive en la gloria de Dios (Marcos 16).

10. ¿Cual es el punto central de la enseñanza de Jesús?

El mensaje de Jesús afirma que con su venida el reino de Dios ha llegado a este mundo. Quiere decir que la vida misma de Dios ha sido inaugurada entre los hombres y que ellos son invitados a aceptarla, viviendo y obrando junto con Dios para el desarrollo y la plenitud del reino (Marcos 1, 14-15).

11. ¿Qué nos enseñó Jesús sobre la vida de Dios?

Enseñó que la vida de Dios es amor. Dios vive dándose a Sí mismo eternamente. El pertenecer al reino quiere decir que uno vive guiado por el amor también. Lo mismo que Jesús, debemos de tratar de vivir para los demás (1 Juan 4, 7-16).

12. ¿Cómo enseñó Jesús el amor de Dios?

Jesús enseñaba describiendo a la gente cómo era su Padre. Y lo que es todavía más importante, su misma vida es una lección en la que se puede aprender el amor de Dios en acción. Jesucristo en su persona, vida y enseñanza nos muestra a Dios entregándose a los hombres (Juan 16, 25-28).

13. ¿Qué pide Jesús a los que le escuchan?

Les pide que salgan de sí mismos y de su pasado, y que le acepten como base y cimiento de su vida futura. Este acercamiento a Jesús se llama "conversión" (Juan 3, 31-36).

14. ¿Qué se necesita para que haya una "conversión"?

La conversión exige una convicción de que Dios es la medida completa y el sentido completo de la vida, y que Jesucristo es la puerta y camino hacia Dios (Hechos 2, 36-39).

15. ¿Cuál es el punto de arranque para la fe cristiana?

Que Jesucristo es Dios-hecho-hombre que murió en nuestro servicio y que nos llevó a una vida nueva por medio de su resurrección (1 Corintios 15, 12-19).

16. ¿Por qué creen los cristianos?

Porque han llegado a ver en Jesucristo la bondad y el amor de Dios actuando a la perfección en la vida del hombre.

III

LA HISTORIA DEL AMOR DE DIOS HACIA EL HOMBRE

La vida, muerte y resurrección de Jesús es el acontecimiento más importante de la historia por medio del cual Dios se revela a Sí mismo y muestra su amor hacia el hombre. Sin embargo, se revela también en menor grado en otros acontecimientos.

Es probable que si los hombres fuesen más sensibles hacia Dios serían capaces de verle en todas las partes. Pero tal como son las cosas, ha habido ciertos hechos especiales a lo largo de los siglos que son considerados por los hombres de fe como señales de Dios. Vislumbran algo de Dios en esos acontecimientos porque viven ya cerca de El y se dan cuenta de su presencia. Cuando advierten su presencia en algún hecho, entonces sus seguidores hablan y sus palabras anuncian a los demás lo que Dios ha comunicado. De este modo, ciertos acontecimientos especiales tanto del presente como del pasado forman parte de la fe cristiana.

Estos acontecimientos los encontramos en la Biblia y en la vida de la Iglesia. Son de suma importancia para el cristiano en sus relaciones con Dios. Sin ellos no puede ni explicar ni vivir su fe.

La Biblia y la Iglesia dan testimonio de esos hechos.

17

Nos aseguran que tuvieron lugar y explican su sentido. Por eso, la Biblia y la Iglesia son esenciales para el cristiano.

(a) LA BIBLIA

1. ¿Qué es la Biblia?

La Biblia es un conjunto de libros escritos bajo la inspiración de Dios, sobre la experiencia que ha tenido de Dios un pueblo en particular.

2. ¿Quién escribió la Biblia?

La escribieron muchos, cuyos nombres apenas conocemos, todos hombres de fe, durante un largo período de tiempo y en la mayoría de los casos mucho después de los hechos que narran.

3. ¿Qué es el Viejo Testamento?

Los cuarenta y seis libros del Viejo Testamento contienen la historia del pueblo judío y de su fe desde los orígenes hasta el siglo primero. Hay también entre ellos libros de poemas y oraciones, leyes y relatos, libros de sabiduría y de consejos prácticos para el bien vivir.

4. ¿De dónde proviene todo ese material?

Viene de la vida y experiencias del pueblo judío.

Gran parte de él fue transmitido oralmente de generación en generación antes de ser recogido, ordenado y escrito tal como nos ha llegado a nosotros.

5. ¿Qué es el Nuevo Testamento?

El Nuevo Testamento es un documento donde se conserva lo que decían y pensaban los primeros seguidores de Jesús sobre El y sus enseñanzas.

6. ¿Qué se incluye en el Nuevo Testamento?

Se incluyen cuatro evangelios, es decir la predicación básica de los seguidores de Jesús. Cada uno es un poco diferente en su punto de vista y en los detalles, de acuerdo con la personalidad y el propósito de los autores, pero todos hablan de Jesús y de sus enseñanzas. El Nuevo Testamento tiene también una historia de la Iglesia primitiva (Hechos), veintiuna cartas de los apóstoles (epístolas), y un libro de profecías (Apocalipsis).

7. ¿De dónde proviene ese material?

Viene todo de los primeros grupos de seguidores de Cristo.

8. ¿Tiene razón la Biblia como libro histórico?

No siempre. En aquellos tiempos apenas si se conservaban documentos y la gente no tenía ni interés ni preparación para escribir historia científica. Sin embargo los relatos son bastante exactos sobre la historia que narran.

9. ¿Es la Biblia verdadera?

Sí. La Biblia es esencialmente el testimonio de lo que Dios ha hecho en la historia de un pueblo y de lo que han llegado a creer sobre El como resultado. Ese testimonio es claro, uniforme y verdadero. Esta fe *verdaderamente* occurió.

10. ¿Está anticuada la Biblia?

Sí. Gran parte del lenguaje y de las ideas que contiene son propias de otra época y cultura que ya no existen. La manera en que habla de la naturaleza y del universo es muy primitiva y muy atrasada comparada con las ciencias modernas. Incluso muchas de sus leyes y costumbres religiosas carecen de significado para el hombre de hoy. Todo esto hace que nos resulte difícil leerla hoy, y por eso necesitamos ayuda para entenderla.

11. ¿Por qué es importante la Biblia?

Es el documento escrito de los hechos decisivos

de Dios en el mundo. Ellos nos enseñan el
significado de la vida y señalan el porvenir del
hombre. No hay nada más importante para el
hombre que esta visión y esta esperanza.

**12. ¿Qué nos dice sobre la vida en este mundo aquí
y ahora?**

Si bien la Biblia expresa sobre todo una
experiencia *pasada* de Dios, sigue teniendo
todavía vitalidad hoy también. Si se lee con
devoción, es capaz de hacernos sentir una
presencia y acción de Dios en el momento
presente. Además, la experiencia de esos
hombres de fe ilumina muchos aspectos de
nuestras vidas y nos ayuda a descubrir nuevos
caminos y nuevo sentido en nuestra vida. De
esta forma Dios nos sigue incitando e invitando
a entrar en el mundo de la fe.

(b) DIOS EN LA VIDA DEL HOMBRE

**13. ¿Cuáles son los actos más importantes de Dios
en la vida del hombre?**

En primer lugar, el nos dió la vida y el mundo;
después ayudó a los hombres a encontrar el
verdadero fin y camino; además, El mismo entró
en la vida del hombre y nos invitó a vivir con El;
por fin, comunica su vida a los que aceptan su
invitación.

14. ¿Cómo dio la vida y el mundo al hombre?

La Biblia lo llama "creación." No sabemos cómo sucedió. La ciencia está estudiando este proceso y tal vez nos lo pueda explicar un día. Ahora creemos que fue un desarrollo evolucionario gradual que ocurrió hace muchísimo tiempo. Pero no importa como nos lo haya dado, lo que importa a la fe es que todo lo que tenemos se lo debemos a Dios (Génesis 1, 1-2).

15. ¿Se propone la Biblia explicar la creación?

Ciertamente que no. El pueblo de Dios sabía que El era Señor de la vida y del universo. Esto lo podían afirmar, pero después de millones de años apenas podían imaginarse cómo había sido la creación.

16. ¿Cómo ayudó Dios al hombre a encontrar el verdadero fin y camino?

El proceso educativo que indica cómo el hombre llegó a entender quién era en verdad y lo que podía llegar a ser, está contenido en detalle en el Viejo Testamento. En él encontramos el largo y doloroso proceso formativo en el que Dios se aparece al hombre y le anima a abrirse a Dios y a su propio futuro.

17. ¿Cómo entró Dios en la vida del hombre y le invitó para que participase en la suya?

Se hizo hombre en Jesucristo, el cual después invitó a los demás al reino de su Padre.

18. ¿Cómo comunica Dios su vida a los demás?

Por medio del Espíritu Santo, que envía para que viva en sus amigos (Juan 14, 15-17).

(c) LA ACCION DE DIOS EN EL VIEJO TESTAMENTO.

19. ¿Cómo comenzó la acción de Dios en el Viejo Testamento?

Comenzó hace unos 4.000 años con un hombre llamado Abraham. Abraham respondió a su llamada y le siguió toda su vida. Por serle tan fiel, Dios escogió a sus descendientes como su pueblo especial (Génesis 2, 1-7).

20. ¿Quién era este pueblo de Dios?

Era el pueblo judío, conocido en el Viejo Testamento con el nombre de Israel.

21. ¿De dónde venían?

Venían de Egipto. Sus antecesores habían ido allí como refugiados huyendo del hambre y se quedaron allí. Sin embargo, después de varias generaciones, los egipcios se volvieron contra ellos y los esclavizaron.

22. ¿Cómo salieron de Egipto?

Dios inspiró a Moisés para que los convenciese de que si ponían su confianza en el Dios de sus padres, él los sacaría de la esclavitud y los llevaría a su propio país. Esta prolongada y difícil emigración se llama el "Exodo" (Exodo 12, 21-42).

23. ¿Cómo llegaron a ser el pueblo de Dios?

Después de su salida anduvieron vagando por el desierto del Sinaî. Moisés les recordaba que su afortunado escape se debía a su confianza en Dios. Dios los sacó de Egipto para hacer de ellos su pueblo, y este era el momento propicio para expresar su confianza de una forma permanente. Después de largas oraciones y exortaciones por parte de Moisés, y de muchas dudas y oposición por parte del pueblo, declararon solemnemente que aceptaban a Dios y que estaban dispuestos a ser su pueblo (Exodo 19, 1-8).

24. ¿Cómo expresaron esto?

Tuvieron una solemne ceremonia y sellaron su entrega a Dios con sangre de animales. Estos animales habîan sido sacrificados y ofrecidos a Dios como dones (Exodo 24, 3-8).

25. ¿Cómo se llama esta entrega?

La "Alianza." La alianza era una antigua forma legal por la que la soberanîa de un rey sobre un pueblo era reconocida y aceptada. Israel era diferente de las otras naciones porque *su* alianza era con Dios.

26. ¿Cuáles fueron las condiciones de la alianza?

Fueron formuladas en los Diez Mandamientos que Moisés entregó al pueblo. Serîa su ley fundamental. Explicaba sus obligaciones con Dios y con los demás. Al pasar los años se fueron añadiendo otras leyes de forma que toda la vida del pueblo giraba alrededor de su promesa a Dios (Exodo 20, 1-17).

27. ¿Cumplió Israel con la alianza?

No. La desobedecîan constantemente abandonando a Dios y olvidando los mandamientos. Este abandono de su entrega les llevó a guerras, sufrimientos y derrotas.

Aprendieron a ser fieles únicamente a través de largas y duras experiencias.

28. ¿Cumplió Dios su parte de la alianza?

Sí. Nunca abandonó a su pueblo, y siempre que le abandonaron le perdonó.

29. ¿Qué esperaba Israel de Dios?

Esperaba recibir especiales beneficios por ser su pueblo. Esperaba ser en cierto modo el instrumento del que Dios se serviría para establecer su reino en todo el mundo. Esperaban ser también los primeros entre las naciones. Con frecuencia sus aspiraciones eran exageradas y ambiciosas.

30. ¿Qué es lo que Dios dio por fin a su pueblo?

Se dio a sí mismo. Vino a ellos en la persona de Jesús y les anunció que el reino de Dios había llegado de forma definitiva (Juan 8, 42-47).

31. ¿Qué aprendieron los hombres en el Viejo Testamento?

Aprendieron que Dios era algo real. La fuerza directriz en su vida. También aprendieron que Dios es fiel a sus promesas y que los hombres podían vivir como amigos suyos si ponían en El su confianza.

(d) EL ACTO DECISIVO DE DIOS

32. ¿Qué cambios introdujo Jesús?

Trajo una vida completamente nueva para los hombres (Juan 10, 10).

33. ¿En qué consiste esta nueva vida?

Es la vida misma de Dios comunicada a los hombres por el Espíritu Santo que viene a vivir en ellos. A veces se le llama "gracia" (Juan 14, 18-24).

34. ¿Por qué es nueva?

Porque antes de que viniese Jesús nadie había amado a Dios lo suficiente para poder vivir este tipo de vida.

35. ¿Cómo pudo Jesús cambiar esto?

Porque era el Hijo de Dios. Al hacerse hombre amó al Padre y a los demás con el amor mismo de Dios.

36. ¿Cómo mostró este amor en su vida?

Todo lo que dijo e hizo, su vida y su muerte, fue para bien de los demás. Pasó su vida enseñando a los hombres la verdad sobre su Padre y sobre sí mismo; compartió su vida y sus sufrimientos y curó sus enfermedades. Hizo todo esto por el amor que les tenía, y por su Padre que le había pedido ese servicio. Cumplió todo esto, aunque le costó la muerte.

37. ¿Qué es lo que la vida de Cristo nos enseña sobre Dios?

Nos enseña de manera muy humana que la vida de Dios es una vida de amor. Padre, Hijo y Espíritu Santo se están dando mutuamente por toda la eternidad.

38. ¿Cómo reaccionó el Padre hacia la vida de Jesús?

Habiendo recibido de Jesús una perfecta vida humana de amor, ahora el Padre da su propia vida a los seguidores de Jesús que van a El con fe (Hechos 2, 22-33).

39. ¿Cómo puede uno recibir esta nueva vida?

Poniendo su fe, esperanza y amor en Jesucristo cuya vida, muerte y resurrección han hecho accesible la vida de Dios a los hombres. El Padre, Hijo y Espíritu Santo vienen y comparten su amor con aquellos que se entregan a Jesús (Hechos 2, 37-39).

40. ¿Cómo puede uno vivir la vida de Dios?

Lo mismo que Jesús. Unido a él, el cristiano debe morir a sí mismo y resucitar a una vida para los demás (Mateo 16, 24-27).

41. ¿Dónde podemos ver este don de la nueva vida?

En la resurrección de Jesús. Fue brutalmente azotado, ejecutado, sepultado; pero el Padre lo resucitó para una nueva vida, y los dos juntos dan a sus fieles seguidores esta nueva vida.

42. ¿Nos resucitará a nosotros el Padre también?

Sí. Debido a Jesús, nos ama a todos y resucitará a todos los que se vuelven a El con fe (1 Tesalonicenses 4, 13-18).

43. ¿Cuándo lo hará?

Nadie lo sabe. Cuando lo haga, querrá decir que el reino de Dios entre los hombres ha llegado a su plenitud y que los que comparten su vida comparten también su gloria. A esto se le llama generalmente "el fin del mundo," pero es mejor llamarle "la plenitud de la creación de Dios" (Mateo 24, 35-44).

44. ¿En qué consiste la asunción de María?

Es una gracia especial, por la cual María fue llevada al cielo en cuerpo y alma donde goza ya de la gloria que les espera a los hijos leales de Dios.

45. ¿Qué es el cielo?

Es el nombre que le da la Iglesia a la vida que uno tiene en Dios después de la muerte. En el cielo el hombre ve al Padre, al Hijo y al Espîritu Santo tal como son, y comparte su manera de vida para siempre. Esta clase de vida es misteriosa y sabemos muy poco de ella, excepto que es un estado de suprema felicidad y alegría.

IV

NUESTRA RELACION CON DIOS

(1) La Iglesia

La Biblia nos hace vislumbrar un mundo de fe que se esfuerza por echar raíces en las vidas de los hombres. Pertenecer a ese mundo equivale a compartir la experiencia que los hombres tienen de Dios. Para poder entrar en la corriente de esa experiencia es necesario estar en contacto con los que ya están viviendo esa vida. A estos les llamamos la "Iglesia."

La Iglesia proclama las buenas noticias de lo que Dios hace en el mundo. Lo hace de muchas maneras —con la predicación y la enseñanza, con su vida y su culto, por medio de la Biblia y de los escritos de los profetas, y con las palabras, a veces indecisas, de cada cristiano cuando expresa sus más básicas aspiraciones. De una u otra forma, es siempre la Iglesia, de antes o de ahora, colectiva o individualmente, la que trata de responder a la pregunta básica de la vida y la que al mismo tiempo puede orientarle para que siga su búsqueda.

(a) ¿QUE ES LA IGLESIA?

1. ¿Cómo comenzó a existir la Iglesia?

La Iglesia comenzó cuando el Espíritu Santo entró en los seguidores de Jesús y los introdujo a la vida de Dios (Hechos 2, 1-4).

2. ¿Cuándo ocurrió esto?

El día de Pentecostés, una de las fiestas judías. Después de resucitar Jesús se mostró a sus más íntimos amigos y a otros seguidores. Cuando llegaron a creer que había vencido a la muerte, Jesús abandonó su presencia visible y vive escondido en el Padre. El día de Pentecostés envió su Espíritu y su vida a sus seguidores tal como había prometido (Hechos 1, 1-9).

3. ¿Cómo respondieron al Espíritu los discípulos de Jesús?

Fueron a anunciar a todos las buenas noticias de lo que Jesús había hecho, e invitaban a sus oyentes a creer en El y a vivir según el Espíritu (Hechos 2, 22-24).

4. ¿Qué es la Iglesia?

Es el conjunto de los que Dios ha llamado para dar testimonio de su Hijo Jesús y de la nueva vida que ha traído al hombre. A este grupo se le llama de diferentes formas, entre ellas "el pueblo de Dios" y "el Cuerpo de Cristo" (Hechos 1, 6-8).

5. ¿A quién invitó Dios a dar testimonio?

A todos los que creen que Dios se ha revelado y dado a los hombres en Jesucristo.

6. ¿Cómo da la Iglesia testimonio de esto?

Proclamando con palabras y obras lo que Dios ha hecho en Jesús. Como comunidad de creyentes que es, la Iglesia debe vivir la vida de Jesús en su Espíritu, y dar pruebas de su amor mediante una vida de hermandad y servicio para los demás (Hechos 3, 42-47).

7. ¿En qué actividades se cifra el testimonio de la Iglesia?

En predicar la Palabra de Dios y enseñar su contenido; en celebrar la acción decisiva de Dios en su liturgia; en servir a las necesidades espirituales y físicas de los hombres.

8. ¿Cómo celebra la Iglesia el don de Dios a los hombres?

Sobre todo en la Misa y los sacramentos. En

estos actos rituales la Iglesia celebra lo que Dios
ha hecho y le da las gracias.

9. ¿Cómo sirve la Iglesia a las necesidades espirituales?

Proveyendo una comunidad de fe en la que los
hombres pueden encontrar apoyo y dirección
en su respuesta a Dios. En esa comunidad, el
Espíritu Santo comunica y fortalece la vida de
Dios por medio de los sacramentos, las
oraciones y las obras de caridad.

10. ¿Qué son los sacramentos?

Acciones especiales de la Iglesia por las que la
vida de Dios se comunica a su pueblo. En la
Iglesia Católica los sacramentos son: bautismo,
confirmación, eucaristía, penitencia, unción de
los enfermos, órdenes sagradas y matrimonio.

11. ¿Cómo sirve la Iglesia a las necesidades físicas del hombre?

Dando ayuda material a los que están en
necesidad y cooperando con otros interesados
en eliminar las causas del dolor y en procurar
una vida mejor para los hombres.

(b) LA UNIDAD DE LA IGLESIA

12. ¿Cuántas iglesias hay?

Hay solamente una. Jesús anunció las mismas buenas noticias a todos los hombres e invitó a todos a la nueva vida. La Iglesia es la unión de todos los que siguen su llamada (Efesios 4, 1-5).

13. ¿Cómo se explica que haya tantas iglesias?

(a) Jesús tiene muchos millones de seguidores. Es necesario que se reúnan en lugares diferentes, en comunidades o "iglesias" de tamaño razonable. Por eso hay muchos grupos locales de la Iglesia que es una.

(b) Además, en la larga historia del cristianismo se han dado serias diferencias entre los seguidores de Jesús sobre el sentido de su Evangelio y el modo de vivirlo. De ahí han resultado divisiones y grupos que se han separado llamándose "Iglesia" y diciendo todos que eran ellos los fieles seguidores de Jesús.

14. ¿Qué grupos son estos?

Los principales son la Iglesia Católica, la Iglesia Ortodoxa Oriental, la Iglesia Anglicana, y las diversas Iglesias Protestantes. En los tiempos modernos han aparecido otros grupos de manera independiente teniendo muy diferentes relaciones con Jesucristo y sus enseñanzas.

15. ¿Qué es la Iglesia Católica?

Es la comunidad mundial de los seguidores de Jesús que están unidos bajo el Papa.

16. ¿Qué es la Iglesia Ortodoxa Oriental?

Es una familia de comunidades autónomas provenientes de la Europa oriental y de Asia y que datan de los principios del cristianismo. Durante los primeros mil años Oriente y Occidente estaban unidos, pero desacuerdos y diferencias políticas, culturales y teológicas llevaron a una separación en 1054. Esta separación ha durado hasta nuestros días.

17. ¿Qué es la Iglesia Anglicana?

Es una familia de comunidades cristianas que proviene de la Reforma ocurrida en Inglaterra en el siglo XVI. La Iglesia de dicho país proclamó su independencia de Roma, y ha seguido separada desde entonces. La Iglesia Episcopal es la rama americana de la familia Anglicana.

18. ¿Qué son las Iglesias Protestantes?

Son la continuación o los descendientes de esos grupos cristianos que "protestaron" contra ciertas enseñanzas y costumbres de la Iglesia de Occidente en la Reforma del siglo XVI. Roma y el papado se opusieron a su protesta y ocurrió entonces la separación de varios grupos. Desde entonces ha habido otras separaciones, procediendo muchos grupos de estas iglesias de la Reforma.

19. ¿Cómo es la Iglesia una?

Existe solamente en Jesús y comunica la misma vida de Dios a todos los que creen en El. En este sentido básico todos los cristianos están verdaderamente unidos y la Iglesia es una nada más.

20. ¿De qué forma no es una la Iglesia?

Diferencias históricas, enemistades y odios han separado a los seguidores de Jesús de forma que no comparten entre sí gran parte de su vida cristiana. Además la manera de comprender a Jesús y el sentido de su vida y su enseñanza cambia mucho, y estas diferencias impiden a veces que los cristianos se unan. El resultado es que, si bien la Iglesia es una, esta unidad no puede verse en su vida y no siempre es aceptada o entendida.

21. ¿Qué es el ecumenismo?

Es la aceptación de la unidad fundamental de la Iglesia y el consiguiente esfuerzo para que esa unidad sea algo presente y visible en toda la vida de la Iglesia.

22. ¿Qué lugar ocupan las otras religiones?

Dios vino a los hombres en Jesús de la manera más completa posible. Sin embargo, también habla a los hombres de otras maneras, y a lo largo de los siglos muchos hombres le han respondido de diferentes maneras. Las grandes religiones del mundo expresan algunas de estas diferentes experiencias que los hombres han tenido de Dios.

(c) LAS AUTORIDADES DE LA IGLESIA

23. ¿Qué son las órdenes sagradas?

Son el hecho por el cual la Iglesia escoge y da autoridad a ciertos individuos para ejercer ciertas funciones especiales para la edificación de la Iglesia de Jesucristo con el poder del Espíritu Santo. Las órdenes mayores de la Iglesia son: diácono, sacerdote y obispo.

24. ¿Qué funciones desempeñan los que han recibido órdenes sagradas?

Varían según el oficio de cada uno. En general están relacionadas con la enseñanza, la administración de los sacramentos y el gobierno de la Iglesia.

25. ¿Qué clase de autoridad tiene la Iglesia?

Hay dos clases de autoridad en la Iglesia: la autoridad ordinaria que tiene cualquier sociedad para organizarse y administrarse, y la autoridad especial que Jesús dio a sus discípulos para enseñar y obrar en su nombre.

26. ¿Cómo ejerce la Iglesia su autoridad ordinaria?

En la manera acostumbrada de promulgar leyes para regular sus asuntos internos, para promover el bien común y para cumplir los fines de la Iglesia.

27. ¿Cómo ejerce la autoridad especial que le dio Jesús?

La enseñanza, el culto, y la cura de almas se hacen en nombre de Jesús, y su persona y poder están presentes en ella cuando obra bajo esta autoridad.

28. ¿Quién ejerce la autoridad en la Iglesia?

El Papa y los obispos ejercen la autoridad en favor de la Iglesia. Los otros, el clero y los laicos, pueden participar en el ejercicio de la autoridad de la Iglesia en grados diferentes.

29. ¿Quién es el Papa?

Es una señal visible de Jesucristo y el símbolo de la unidad de la Iglesia. Junto con los obispos, y como su cabeza, es el maestro universal y el director de la Iglesia.

30. ¿Quiénes son los obispos?

Son señales visibles de Jesús en cada localidad y el símbolo de la unidad de la Iglesia. Cada obispo diocesano es el maestro principal y el director de la Iglesia en dicha localidad. Todos los obispos, junto con el Papa, son los testigos oficiales de la fe de toda la Iglesia y son responsables por su vida en todo el mundo.

31. ¿Qué es un concilio ecuménico?

Es la asamblea de toda la Iglesia bajo el liderato del Papa. En los últimos tiempos ha constado casi exclusivamente de los obispos de la Iglesia.

32. ¿Qué es la infalibilidad?

Es un don del Espíritu Santo con el que se protege del error la fe de la Iglesia.

(2) Bautismo

La Iglesia es Jesucristo convertido en programa de

vida. Lo que los cristianos creen sobre El, la manera
en que se relacionan con El, el modo en que
piensan que sus vidas deben reflejar sus enseñanzas
—todo esto ha sido ya elaborado con bastante
detalle a lo largo de los siglos, de forma que
tenemos a nuestra disposición una formulación
práctica de la fe cirstiana referida a la vida humana.
Al igual que la fe, esta manera de vida nunca llega a
expresarse perfectamente y depende siempre hasta
cierto punto de las circunstancias particulares
históricas y culturales.

A pesar de estas limitaciones, para el cristiano
creyente la Iglesia es el único lugar donde desea
vivir su fe de la forma más completa. Necesita oîr el
evangelio una y otra vez. Necesita ser parte del
continuo trabajo de Jesús en el mundo. Y necesita la
compañía de los demás cristianos a medida que va
creciendo en la fe, que va tomando su debido lugar
en la misión de Cristo y que celebra lo que Dios ha
hecho por los hombres.

Llegar a tener fe en Jesús es llegar a ser parte de la
Iglesia. Si uno entra en la vida de Jesús, entra
también en la vida de la Iglesia. La fe puede llegar
silenciosamente desde dentro, pero la respuesta del
cristiano es decididamente pública. El que llega a
reconocer a su Padre en Jesús, ese irá a la Iglesia y
pedirá el bautismo.

1. ¿Cómo se hace uno miembro de la Iglesia?

Por un nuevo nacimiento. Ahora uno nace a la
vida de Dios. Simultáneamente se hace

miembro de la comunidad de los seguidores de Jesús que comparten esa vida con El (Juan 3, 1-4).

2. ¿Cómo tiene lugar este nuevo nacimiento?

Por medio del bautismo y del Espíritu (Juan 3, 5-8).

3. ¿Qué es el bautismo?

Es un sacramento que consiste en derramar agua y en decir palabras; ambas cosas juntas significan la llegada a la vida de Dios.

4. ¿Qué significa el agua?

Es una señal de vida y de limpieza. Es probable que la vida en la tierra comenzase en las aguas, y el agua se usa dondequiera para lavar y limpiar.

5. ¿Qué significan las palabras?

Significan que la vida que comienza ahora uno es la de Dios—Padre, Hijo y Espíritu Santo.

6. ¿Qué papel tiene el Espíritu?

El Espíritu Santo nos une a Jesús, de forma que

compartimos con El la vida de Dios que trajo al mundo.

7. ¿Qué sucede a raíz del bautismo?

Uno queda reconciliado con Dios; sus pecados son perdonados, recibe la vida de Dios y pasa a ser parte del pueblo de Dios (Juan 3, 16-17).

8. ¿Cómo es posible la reconciliación?

En Jesús se han reconciliado Dios y los hombres. El bautismo une al nuevo cristiano de forma tan profunda a Cristo que participa de su muerte y resurrección. Por este sacramento muere a su viejo ser y resucita a una nueva vida (Romanos 6, 1-11).

9. ¿Qué se necesita para el bautismo?

Fe en Jesucristo y el deseo de seguirle con su Iglesia (Hechos 8, 35-39).

10. ¿Qué es la confirmación?

Es otro sacramento que confirma o refuerza la vida del Espíritu recibido en el bautismo.

11. ¿Cómo se administra?

La señal principal la hace el obispo al extender las manos sobre los que se van a confirmar y al implorar que el Espíritu Santo venga sobre ellos.

12. ¿Por qué se confirma la gente?

Para darles fuerzas de forma que puedan cumplir con responsabilidad y madurez su misión de dar testimonio de Jesucristo y de servir a sus semejantes.

(3) El Sacramento de la Eucaristía

El bautismo es el principio de la vida cristiana. Inicia al hombre en la vida del Padre, Hijo y Espíritu Santo. Su presencia y amor vitales iluminan la vida humana y eliminan sus limitaciones. Un sentimiento de que toda la creación pertenece al Padre, una convicción de un sentido más profundo y de la importancia de todo lo que uno hace, un deseo de alcanzar la máxima posesión de los dones del Padre—estas son algunas de las cualidades que hacen que la vida de la fe sea tan liberadora y atractiva.

Pero el bautismo es sólo el principio. Queda luego toda una vida que vivir. El cristiano tiene que estar siempre despierto a esta vida y hacer que su vida aumente. Todo lo que uno hace guiado por la fe ofrece muchas posibilidades para esta especie de revitalización—la oración, los sacramentos, el oír la

*palabra de Dios, el servicio cristiano a favor de los
otros, etc.*

*Algunas de estas cosas son más importantes que
otras. La más importante y en realidad el acto central
de la Iglesia cristiana es el sacramento de la
Eucaristía, es decir, la Misa. En esa gran celebración
de su fe común, los seguidores de Jesús vuelven a
vivir la experiencia de Jesús y dan gracias a Dios por
ello. En la Misa cada cristiano recuerda quien es y lo
que el Padre le ha dado. Al mismo tiempo, recibe de
nuevo el mismo don de Jesucristo y entra en una
unión más profunda con El en el Espíritu Santo. La
Misa es el lugar en que la comunidad cristiana
representa su fe y es renovada y reforzada en todos
sus miembros.*

(a) LA EUCARISTIA COMO RECUERDO

1. ¿Qué es la Misa?

Es la manera en que la Iglesia hace lo que hizo
Jesús en la Ultima Cena (1 Corintios 11, 23-26).

2. ¿Por qué hace esto la Iglesia?

Para recordar a Jesús y para tener una reunión
con El.

3. ¿Qué hizo Jesús en la Ultima Cena?

Dio pan y vino a los apóstoles para que lo
comiesen y bebiesen, diciéndoles que era su
propio cuerpo y sangre. Luego les pidió que
le recordasen siempre repitiendo ellos mismos
lo que había hecho (Lucas 22, 14-20).

4. ¿Cómo hace esto la Iglesia en la Misa?

La Iglesia vuelve a repetir la Ultima Cena
reuniendo a los seguidores de Cristo y
recordando, mediante lecturas y oraciones, lo
que Dios ha hecho por su pueblo. Entonces el
sacerdote anuncia lo que dijo e hizo Jesús en la
Ultima Cena y ofrece pan (y en algunas
ocasiones también vino) para que lo coma la
gente.

(b) LA EUCARISTIA COMO ACTO DE JESUS

5. ¿Cuál fue el resultado de lo que hizo Jesús en la Ultima Cena?

Sus palabras y su poder hicieron que estuviese
realmente presente en el pan y en el vino que
dio para que comiesen los apóstoles, de forma
que en verdad recibieron a Jesús en aquella
comida y se unieron a El (Juan 6, 48-59).

6. ¿Qué significó esto para los apóstoles?

Los unió a Jesús y a toda su obra. Compartieron la entrega de sí mismo al Padre en la cruz y también compartieron en el don de vida que hizo el Padre a Jesús en la resurrección (1 Corintios 10, 14-21).

7. ¿Es la Misa algo más que un recuerdo de Jesús?

Sí. El mismo Jesús es más que un recuerdo. Por su resurrección sigue presente y activo entre nosotros en el Espíritu. La Misa es el lugar en que la Iglesia no sólo recuerda a Jesús sino que verdaderamente lo hace presente, lo mismo que a su muerte salvadora y su resurrección, de forma que sus seguidores pueden ser parte de ello.

8. ¿Cómo puede la Iglesia hacer esto?

Porque Jesús está unido a ella en el Espíritu Santo. Cuando la Iglesia celebra la Eucaristía, Jesús está realmente allí, y es El que repite una vez más lo que hizo en la Ultima Cena.

(c) LA EUCARISTIA COMO PRESENCIA DE JESUS

9. ¿Cómo está Jesús presente en la Misa?

De varias maneras. Está presente en su Palabra cuando los fieles escuchan las lecturas de la

Escritura. Está presente en el sacerdote y en el pueblo por medio de los cuales está obrando de nuevo lo que hizo en la Ultima Cena. Y también está presente de una forma real en el pan y el vino que simbolizan su cuerpo y su sangre.

10. ¿De qué otra forma expresa la Iglesia esta presencia de Jesús en la eucaristía?

Preservando el pan consagrado, y en la ceremonia de la bendición con el Santísimo.

11. ¿Qué es la reserva del Santísimo Sacramento?

Al terminar la comunión, el pan consagrado que sobra se pone en el sagrario y se guarda con reverencia. Así, el Santísimo Sacramento de la eucaristía está siempre a disposición como una continua señal de la presencia real de Jesús entre los suyos y como alimento espiritual para enfermos y moribundos.

12. ¿Qué es la Bendición?

Es una breve ceremonia en la que se expone el Santísimo Sacramento a la adoración y reverencia de la gente. Termina cuando el sacerdote bendice al pueblo con el pan consagrado.

(d) LA EUCARISTIA COMO RITUAL

13. ¿Cuáles son las partes principales de la Misa?

La liturgia de la Palabra y la liturgia de la comida.

14. ¿Qué es la liturgia?

Es el acto comunal de la Iglesia con el que se alaba a Dios y se santifican los hombres.

15. ¿Qué es la liturgia de la Palabra?

Es aquella parte de la Misa en la que los fieles hablan a su Padre y escuchan su Palabra. Consiste en oraciones, himnos, lecturas de la Escritura y un sermón. Dura desde el principio de la Misa hasta el final del Credo.

16. ¿Qué es la liturgia de la comida?

Es la parte de la Misa en la que se representa con palabras y obras lo que ocurrió en la Ultima Cena. En este servicio los fieles cristianos pasan a formar parte del don que de sí mismo hizo Jesús al Padre, y luego reciben a Jesús como regalo del Padre. Esta liturgia comienza con el ofertorio y termina con la comunión.

17. ¿Qué pasa en el ofertorio?

Se preparan el pan y el vino para la comida
eucarística.

18. ¿Qué es la consagración?

Es la parte de la Misa que anuncia lo que Cristo
hizo en la Ultima Cena. Nos recuerda que dio
gracias al Padre y les ofreció el pan y el vino a los
apóstoles para que lo comiesen y bebiesen
como su cuerpo y sangre. Este anuncio está
rodeado de oraciones que expresan su
significado de diversas maneras.

19. ¿Qué es la comunión de la Misa?

Es la comida de pan consagrado que nos
alimenta con la vida de Dios y nos une a Jesús y a
nuestros semejantes.

(e) LOS MULTIPLES ASPECTOS DE LA EUCARISTIA

20. ¿Por qué es la Misa tan importante?

Porque reúne en sí todos los dones que el Padre
nos ha dado en Jesucristo. Trae a nuestras vidas
la presencia misma de Jesús, su sacrificio de sí
mismo en la cruz, y la nueva vida del Espíritu
que comenzó para nosotros con la resurrección.

21. ¿En qué forma es la Misa un sacrificio?

Porque trae al momento presente el ofrecimiento que de sí hizo Jesús al Padre en la cruz. Al hacer esto en recuerdo suyo, formamos parte de aquella oferta.

22. ¿Cómo nos trae la Misa la resurrección de Jesús?

El sacrificio de Jesús estableció una vida común de amistad y amor entre el Padre y sus hijos. Así como en la Misa participamos en la muerte de Jesús, así también participamos en la nueva vida del Espíritu Santo, derramado sobre Jesús en su resurrección.

23. ¿Qué elementos humanos importantes están presentes en la Misa?

Todas las fundamentales expresiones religiosas humanas: oración, acción de gracias, culto, comunidad, amor.

24. ¿Cómo es oración la Misa?

Es una oración al Padre en la que su pueblo le da gracias y alabanzas por el glorioso porvenir que nos ha dado en su Hijo Jesucristo. Hay momentos en la Misa en que también pedimos perdón por nuestros pecados e imploramos la bendición del Padre sobre nosotros y nuestros semejantes.

25. ¿Cómo es la Misa acción de gracias?

Recordando lo que Jesús hizo en la Ultima Cena y repitiéndolo con El, la Iglesia da gracias al Padre por habernos dado esta vida nueva.

26. ¿Cómo es culto la Misa?

Al entrar en la vida y muerte vivificantes de Jesús, la Iglesia se une a El para dar al Padre el único culto perfecto que ha visto el mundo.

27. ¿Cómo aparecen vivos en la Misa la comunidad y el amor?

Al unirnos más con Jesús, nuestro Padre hace que estemos más unidos entre nosotros. El Espíritu Santo guía nuestra respuesta con el amor mismo de Dios. Como asamblea de los seguidores de Jesús, la eucaristía es a la vez expresión de aquella unidad y amor que nos une mutuamente y a Jesús, y una acción por la que se refuerzan estos lazos.

V

LA RESPUESTA DEL HOMBRE A DIOS

(1) El Hombre de Fe

La fe da a la vida humana una nueva cualidad. Creer equivale a estar consciente, si no clara y continuamente, por lo menos lo bastante, de que Dios es un participante activo en las preocupaciones y trabajos de cada uno. Estas toman ahora un nuevo valor y una nueva importancia. El creyente llega a comprender que esta es la manera en que debiera vivir el hombre y que todas las posibilidades de vida que él siente se desarrollarán mejor en respuesta a la llamada creadora de Dios.

Esta vida con Dios es también una aventura hacia el crecimiento y descubrimiento de sí mismo. Incluye una nueva forma de comunicación que se llama oración, y un interés más profundo por los demás llamado caridad. Es una vida que tiene también disgustos y decepciones; pero son nada más temporales, ya que la vida de la fe se alimenta de la vida misma de Dios. Le da a uno cierto control de la fuente misma de la vida.

Por esta razón el cristiano considera su relación con Dios como uno de sus fines y aspiraciones más altos, y juzga todo lo demás con relación a esto. Es

*también la razón por la que a pesar de las
dificultades y fracasos aparentes, el cristiano sigue
siempre alegre. Su vida está en contacto directo con
Dios.*

1. ¿Qué es la fe?

Es lo que le pasa a uno que verdaderamente oye
la Palabra de Dios. Es un don gratuito por el que
el Espíritu Santo hace que el hombre pueda
aceptar la Palabra de forma completa y
entregarse a sí mismo y el resto de su vida al
Padre (Romanos 10, 8-17).

2. ¿Cómo es posible la fe?

Solamente porque Dios habla libremente su
Palabra al hombre y al mismo tiempo abre su
mente y corazón a su presencia y amor (Juan 6,
44-47).

3. ¿Cuál es el efecto de la fe?

Algo que se llama justificación. Quiere decir
que la fe lleva al hombre de un estado de
separación de Dios a una comunión con El y con
sus semejantes en Dios (Romanos 3, 21-28).

4. ¿Qué es la gracia?

Es lo que ocurre al hombre cuando el Espíritu

Santo viene a vivir en El. El Espíritu da al hombre y a sus obras una vida de calidad divina. El efecto de esto es tan profundo que a partir de entonces se dice que una persona vive en "estado de gracia" (Efesios 2, 4-10).

5. ¿Cómo viene el Espíritu al hombre?

De muchas maneras. Primeramente viene desde el interior en la fe. Como es miembro de la Iglesia, también le viene por la oración y la vida sacramental de la Iglesia. Finalmente le viene regularmente por las personas, situaciones y cosas que forman nuestra vida (Romanos 8, 28-30).

6. ¿Cómo une a los hombres?

Inspirando el amor mismo de Dios en el amor y en la amistad humanas, y el anhelo de poseerlos que hace que los hombres se junten y se unan mutuamente.

7. ¿Qué es la esperanza?

Es la convicción de que Dios se preocupa de nosotros y de que podemos contar con El. Es el aspecto de la fe que nos capacita para ver a Dios a pesar del mal y para esperar la vida eterna a pesar de la muerte (Romanos 8, 31-39).

8. **¿En qué se basa la esperanza?**

Uno puede esperar porque en Jesucristo Dios se nos ha entregado para siempre y nunca nos abandonará si nosotros no le abandonamos.

9. **¿Qué es la caridad?**

Es el amor de Dios y de los hombres, debido a que también ellos son de Dios (1 Juan 4, 12-21).

10. **¿Cómo es posible esta clase de amor?**

Porque Dios nos ha dado su propio amor. La presencia del Espíritu Santo en nosotros quiere decir que somos capaces de amar con el amor de Dios incluso a nuestros enemigos, si nosotros queremos (Romanos 5, 5).

11. **¿Es muy importante la caridad?**

Los es todo. Toda la religión cristiana es amor. Dios es amor. Su vida es amor. Su reino es amor. El hombre fue creado en amor, crece por el amor, y por fin se conoce a sí mismo amando (1 Corintios 13, 1-7).

12. **¿Cómo se conocen los verdaderos cristianos?**

Por el amor que tienen a sus semejantes. Jesús

dijo que era así como se podían conocer sus seguidores (Juan 13, 33-35).

13. ¿Qué otras cosas pide Dios al creyente?

La santidad o el ser como Dios. Quiere que seamos lo más posible como El. Esto quiere decir compartir más y más nuestra vida con El para que pueda completar la buena obra que comenzó en nosotros cuando nos habló por primera vez (Mateo 5, 48).

14. ¿De quién se espera la santidad?

De toda la Iglesia. Al darse a los demás Dios hace posible que cada uno se le entregue completamente a El y a sus semejantes. No quiere decir que todos se entreguen de la misma forma, ya que cada cual es diferente, pero sí quiere decir que todos son llamados a la santidad de acuerdo con los dones y talentos que tengan.

15. ¿Qué es un santo?

Son los que la Iglesia ha declarado como verdaderos modelos de santidad, dignos de imitación. (Es verdad que hay muchos otros sobre los que nada ha dicho la Iglesia y cuya santidad sólo Dios y algunos otros conocen. También estos son santos, aunque no hayan sido declarados tales).

16. ¿Qué se necesita para la santidad?

Ponerse a disposición de Dios y responder
libremente a la dirección de su Espíritu Santo (1
Tesalonicenses 5, 12-22).

17. ¿Qué es la oración?

Es comunicación con el Padre, Hijo, y Espíritu
Santo. En la oración uno se vuelve hacia Dios y
escucha su Palabra. A medida que la Palabra de
Dios se apodera de El, comienza a aprender a
decir sus propias palabras.

18. ¿Cuál es la principal oración cristiana?

La eucaristía. Entonces se reúne el pueblo de
Dios para oír su Palabra y para recibir su Palabra
hecha carne, y también para dar gracias y
alabanza.

19. ¿Cómo se ora?

Junto con otros o a solas; con palabras o en
silencio; de rodillas, de pie, sentado o acostado;
en la iglesia o fuera; son todas circunstancias
secundarias. Lo importante de la oración es la
conversación con Dios (Mateo 6, 5-8).

20. ¿Sobre qué podemos orar?

Se puede orar sobre cualquier cosa. Dios nos ama de forma que todo lo que es importante para nosotros es importante para El. Siempre habrá algo por lo que podemos darle gracias y alabanza. A veces hay cosas de las que nos arrepentimos. Y nos invita a que le pidamos todo.

21. ¿Por quién debemos rezar?

Por todos. Por nosotros, la familia, los amigos; por los enemigos, los pobres, enfermos; por los difuntos y los moribundos; por toda la Iglesia; por los países atribulados; y por muchas otras causas. Conviene variar las intenciones de nuestras oraciones cada día para que no se conviertan en pura rutina.

22. ¿Con qué frecuencia debemos orar?

Regularmente. Si es posible, a diario, ya que si la comunicación es rara y se debilita, uno propende a olvidar a la otra persona y a separarse de ella.

23. ¿Qué fórmula de oración se puede usar?

Cualquiera de las que son usadas por la Iglesia o que le ayuda al que reza. La mejor que tenemos es la oración de Jesús, el "Padrenuestro" (Mateo 6, 9-15).

24. ¿A quién debemos rezar?

Todas las oraciones en último análisis se hacen a Dios, y la mayoría de las oraciones allí van a parar. Sin embargo, nos gusta a veces dirigirnos a la Santísima Virgen o a un santo y pedirles que nos ayuden de una manera especial en nuestra oración.

25. ¿Qué papel juegan la enfermedad y el sufrimiento en la vida del cristiano?

Le dan la oportunidad de ser testigo especial de los sufrimientos de Jesús. Si une sus sufrimientos a los de Cristo, lo que era una carga se convierte en una fuente de progreso espiritual y una liberación de sí mismo (2 Corintios 12, 7-10).

26. ¿Qué es el sacramento de la Unción de los enfermos?

Es una acción de la Iglesia mediante la cual, con oraciones y la unción de los sentidos con aceite bendito, el enfermo recibe una fuerza especial del Espíritu Santo. Este sacramento se llama también "extrema unción" (Santiago 5, 14-18).

27. ¿Qué efecto tiene esta Unción de los enfermos?

Los sufrimientos del enfermo quedan unidos a los de Cristo, se perdonan sus pecados y a veces queda también físicamente curado. Si la enfermedad es final, entonces el sacramento le da fuerza para la muerte y lo prepara para el cielo.

(2) El Matrimonio Cristiano

La fe no sólo introduce nuevas actividades y energías en la vida del hombre sino que da también nuevas dimensiones a conocidas instituciones humanas.

El matrimonio es una de ellas, y esto no debe sorprendernos. Todo lo que sirve para expresar amor es ya un acercamiento a Dios, y cabe esperar que Dios se sirva de los esfuerzos humanos para superar el egoîsmo y llevarle más întimamente a su vida. Y esto es lo que hace.

El matrimonio es una relación permanente de amor. Nos enseña a entregarnos y a sacrificarnos. Crea un clima propicio para educar a los niños. Enseña a los jóvenes a cooperar y a preocuparse por otros. Con elementos semejantes se edifica el reino de Dios, y Jesús, que conoce todo lo bueno que hay en el hombre, ha dado tanta nueva vida al matrimonio humano que se convierte para el cristiano en expresión fundamental y en realización de su fe.

1. ¿Qué es el matrimonio cristiano?

Es un hombre y una mujer compartiendo totalmente su vida, amor y fe cristiana entre sí y con Dios.

2. ¿Qué tiene de especial el matrimonio cristiano?

Es un sacramento. En este caso, la relación humana del matrimonio es una señal por la que Dios nos muestra su amor y nos comunica su vida.

3. ¿Cómo es el matrimonio un sacramento?

El Espíritu Santo inspira el amor mismo de Dios al amor entre los esposos, de forma que cada uno pasa a ser una gracia para el otro. Por eso, sus múltiples actos de entrega no sólo refuerzan su vida común sino que hacen que su vida en Dios continúe creciendo.

4. ¿Cómo muestra el sacramento del matrimonio el amor de Dios hacia el hombre?

Mostrando lo próximo que Jesús está a los suyos. San Pablo nos dice que el matrimonio es una señal de la relación entre Cristo y la Iglesia. En este supremo ejemplo humano de amor podemos ver cómo Jesús se ha entregado sin reserva a sus seguidores (Efesios 5, 21-33).

5. ¿Cómo se administra el sacramento del matrimonio?

En primer lugar, por las promesas mutuas entre marido y mujer en la ceremonia del matrimonio. Después se sigue dando a medida que las promesas se van cumpliendo en la vida casada.

6. ¿Quién administra el sacramento?

La misma pareja. Al compartir generosamente su vida en Dios, el esposo es el ministro de la gracia de Dios para la mujer, y la mujer para el esposo.

7. ¿Qué papel juega el sacerdote en el matrimonio?

Oficia en la ceremonia como testigo de la Iglesia en este acto de gracia.

8. ¿Cuál es el fin del matrimonio?

La plenitud y creación de seres humanos. Mediante su mutuo amor los esposos se ayudan mutuamente y a sus hijos, a llegar a ser lo que Dios quiere que sean. Al mismo tiempo, mediante la expresión sexual de su amor participan con Dios en la creación de nuevas vidas.

9. ¿Qué responsabilidad tienen los esposos hacia estas nuevas vidas?

Cada pareja debe determinar, a la luz de las

circunstancias de su vida casada, la excelente
oportunidad creadora que Dios les invita a
compartir.

10. ¿Cómo debe planear su familia una pareja cristiana?

Mediante un examen concienzudo de lo que
deben hacer para aumentar el bienestar de toda
su familia y de la sociedad. Les ayudarán en este
examen las enseñanzas de la Iglesia, el
conocimiento que tengan de sí mismos y de la
situación de la familia y el ejemplo de otros
buenos cristianos. Aquí, lo mismo que en todas
las decisiones de la vida, se guiarán por su
madura conciencia de cristianos.

11. ¿Cuánto dura el matrimonio?

El matrimonio es para toda la vida. Dura
mientras vivan ambos esposos (Marcos 10, 2-12).

12. ¿Por qué es el matrimonio algo permanente?

Porque Cristo dijo que los casados deben
pertenecerse completamente lo mismo que El
pertenece completamente a su Iglesia.

(3) El Hombre Pecador

La fe cambia la vida humana pero no la suprime. El

*hombre creyente sigue siendo la·misma criatura
compleja y contradictoria que siempre ha sido.
Conserva su libre albedrío y su asombrosa
capacidad destructiva. Sigue sintiendo el peso de su
gravedad, y cegándose con sus propios dones y
poderes; y continúa también la tentación de
explotarlos sin considerar las consecuencias. En fin,
el hombre, aunque se haya reconciliado con su
amoroso Padre en Jesucristo, sigue siendo en cierto
sentido un pecador. Su reconciliación pocas veces
es total y nunca muy segura. Si bien su entrega a
Jesús puede ser algo real y su vida puede estar
verdaderamente orientada hacia El, el vivir de
acuerdo con todo esto es otra cosa distinta. La vida
de la fe se mancha con un sinnúmero de faltas y de
compromisos. A veces hay incluso un cambio
completo de dirección y el comienzo de una vida
nueva en la que uno sólo se preocupa de sí mismo.*

*Toda interpretación de la vida cristiana tiene que
incluir la realidad del hombre pecador. Pero al
mismo tiempo cualquier consideración del hombre
pecador tiene que tener en cuenta la luminosa
compasión del amor de Dios que le rodea. Cuando
el cristiano habla del pecado, está hablando
simultáneamente del perdón. Tiene muy clara
conciencia de su debilidad y egoísmo, pero la tiene
todavía mayor del amor de su Padre. El pecado es
para él algo real pero no una realidad final, ya que
sabe que en Jesucristo ha descubierto su ser
auténtico, y sabe también que un día el pecado será
borrado para siempre. Su esperanza cristiana se basa
en esta convicción.*

(a) El Pecado

1. ¿Qué es el pecado?

El pecado es decir que no a Dios. Uno peca cuando rechaza el amor de Dios y rehúsa la invitación de entregarse a Dios y a sus semejantes.

2. ¿Cómo se experimenta el pecado?

Generalmente en actos de egoîsmo personal que dañan a otros y a nosotros mismos. Pero con frecuencia el pecado consiste en no hacer algo —negándose a salir de sí mismo y darse a los demás y a Dios.

3. ¿Cómo se expresa el pecado?

Puede expresarse de pensamiento, palabra, obra u omisión. Otras veces, cuando el egoísmo es profundo y continuo, el pecado se formaliza y llega a penetrar en la estructura misma de la sociedad, de forma que su poder destructor se multiplica muchas veces (Mateo 5, 21-48).

4. ¿Quién es culpable de pecado?

Como el egoismo es algo universal, en principio todos somos culpables de algún pecado (Romanos 3, 9-18).

5. ¿Cómo comenzó el pecado?

Comenzó al rechazar el hombre su
dependencia de Dios (Romanos 1, 18-23).

6. ¿Cuándo ocurrió esto?

Al principio mismo de la existencia del hombre.
El relato bíblico de Adán y Eva es la manera en
que el pueblo de Dios expresó el principio del
pecado (Génesis 3).

7. ¿Qué efecto tuvo el primer pecado?

La muerte y la alienación de Dios. Desde
entonces los hombres nacen alienados de su
amoroso Padre y sujetos a la muerte. La Iglesia
llama a esta situación "pecado original"
(Romanos 5, 12-14).

8. ¿Quiénes están sujetos al pecado original?

Todos menos Jesucristo. En Dios, el Hijo nunca
podrá ser alienado del Padre. Además, por una
gracia especial, María nació libre de pecado
original. A esta gracia se le llama "inmaculada
concepción."

9. ¿Qué es el pecado mortal?

Es un rechazo de Dios tan absoluto que destruye la vida que comparten Dios y el pecador.

10. ¿Qué es el pecado venial?

Los rechazos menores por los que uno no cumple todo lo que Dios espera de él.

11. ¿Qué efecto tiene el pecado mortal?

La separación de Dios y el daño que se causa a sí y a los demás. Si el rechazo es absoluto y no se cambia, entonces es algo permanente. A esta separación permanente de Dios le llama la Iglesia "infierno."

12. ¿Qué efecto tiene el pecado venial?

Cierto daño para sí y para los demás.

13. ¿Por qué es el pecado tan dañino?

El hombre llega a conocerse a sí mismo únicamente mediante un proceso de relaciones con los demás. Para eso tiene que salir de sí, y dar al mismo tiempo que recibe. Si no es así entonces está perjudicando las relaciones con los demás, gracias a las cuales vivimos, y por eso termina destruyéndose a sí mismo.

14. ¿Cuál es la principal señal del pecado en el mundo?

La muerte, y muy especialmente la muerte de Cristo que vino a traer vida. En ese terrible acontecimiento podemos ver a los hombres rechazando verdaderamente a Dios.

15. ¿Qué otras señales hay del pecado?

La guerra, la pobreza, el hambre, el racismo, la violencia y otras persistentes injusticias: son todas señales de la permanente condición pecaminosa del hombre.

(b) Los Mandamientos, la Ley y la Conciencia

16. ¿Cómo se llega a conocer el pecado?

Mediante la experiencia de Dios. Cuando uno llega a conocer a Dios, llega también a conocerse a sí mismo. La luz de Dios le hace consciente de ciertos aspectos tenebrosos en su ser, en otros y en la sociedad.

17. ¿Quién le enseñó al hombre el pecado?

En el Viejo Testamento la Ley de Moisés fue el maestro principal. En el Nuevo Testamento la enseñanza moral de Cristo y su Iglesia hace que los hombres estén conscientes del pecado (Romanos 7, 7-12).

18. ¿Qué es la Ley de Moisés?

La Ley se resume generalmente en los Diez Mandamientos. Sin embargo, son únicamente una parte, y los judíos consideraban a los primeros cinco libros del Viejo Testamento como "la Ley." Se llamaban así porque el origen y la vida del pueblo de Dios allí descritos aparecen en términos de leyes y obligaciones (Exodo 20, 1-17).

19. ¿En qué consiste la enseñanza moral de Cristo?

Se resume en los dos preceptos que dio a la Iglesia: "Amarás al Señor tu Dios con todo tu corazón, con toda tu alma, con toda tu mente y a tu prójimo como a ti mismo." Gran número de las afirmaciones y relatos de Jesús son ejemplos de cómo se deben poner en práctica estos mandamientos (Marcos 12, 29-31).

20. ¿En qué consiste la enseñanza moral de la Iglesia?

La Iglesia sigue enseñando lo que Jesús enseñó y estudia también las cambiantes condiciones humanas a la luz del Evangelio para ayudar a los hombres a entender lo que Dios les pide en cualquiera situación.

21. ¿Cómo expresa la Iglesia sus enseñanzas?

De maneras diferentes. Enseña proponiendo
ideales concretos, juzgando sobre la moralidad
de acciones humanas comunes, y pasando leyes
sobre cierta clase de conducta humana.

22. ¿Hay acciones pecaminosas?

No en sí mismas, ya que las acciones humanas
no se pueden separar de la persona que las
hace. Sin embargo, todo lo que es destructivo
para sí o para los demás es *malo*; puede llegar a
ser *pecaminoso* si el que lo hace sabe que es
malo pero lo hace.

23. ¿Qué acciones son destructivas?

En general, (a) las que perjudican a una
persona, a su propiedad o su reputación—e.g.,
homicidio, robo, calumnia, etc.; (b) las que
ignoran la necesidad que tienen los demás de
nosotros—e.g., indiferencia hacia el dolor, no
dar culto a Dios ni rezar, rechazo de la amistad,
etc.; (c) las que traicionan nuestra relación con
Dios o el prójimo—e.g., ateísmo, adulterio,
desobediencia, etc.; (d) las que impiden el
propio crecimiento en el amor y en la responsabilidad—e.g., odio, placer sexual fuera del
matrimonio, embriaguez, etc.

24. ¿Cómo puede uno darse cuenta del pecado?

La conciencia hace que uno sea capaz de saber cuándo sus actos son pecado. Sin embargo, no podemos estar seguros de los actos de los demás, ya que no podemos ver más que lo exterior de sus acciones.

25. ¿Qué es la conciencia?

Es un conocimiento interior de lo que Dios nos pide que hagamos en las presentes circunstancias (1 Juan 3, 19-22).

26. ¿Cómo se puede saber si la conciencia tiene razón?

Es imposible. Sin embargo, a medida que pasa el tiempo uno puede formar su conciencia escuchando la Palabra de Dios en los evangelios y en la Iglesia y poniendo atención a la inspiración del Espîritu Santo en su interior. Si se va así formando la conciencia uno llega a reconocer la llamada de Dios en cualquier situación y a responderle con fidelidad.

(c) El Arrepentimiento y el Perdón

27. ¿Qué remedio hay para el pecado?

El remedio es Jesucristo, que vino al mundo para

salvar a su pueblo del pecado. Participando en su muerte y resurrección, uno puede triunfar sobre el pecado y la muerte (Romanos 5, 9-11).

28. ¿Cómo recibe el hombre este remedio?

Mediante el arrepentimiento y el perdón.

29. ¿En qué consiste el arrepentimiento?

Es un cambio de corazón por el cual el pecador vuelve a Dios y acepta su amoroso perdón que Dios nunca le niega.

30. ¿Cómo puede arrepentirse uno?

Con la gracia de Dios, el cual, a pesar de la negativas del hombre, le sigue hablando.

31. ¿Cómo se expresan en la Iglesia el arrepentimiento y el perdón?

Mediante el sacramento de la penitencia.

32. ¿Qué es el sacramento de la penitencia?

Es un acto de gracia en el que uno, arrepentido de sus pecados, se confiesa con un sacerdote, recibe la absolución y hace penitencia.

33. ¿Qué es la confesión?

Es un acto de fe en la misericordia de Dios en el cual uno reconoce su pecaminosidad ante Dios y ante su pueblo en la persona del sacerdote.

34. ¿Qué es la absolución?

Son las palabras de perdón que pronuncia el sacerdote en la confesión. Son una señal de la seguridad del perdón de Dios.

35. ¿Qué significa "hacer penitencia"?

Consiste en cumplir los actos de oración o de caridad que manda el sacerdote en la confesión, o que el penitente asume voluntariamente. Es una manera de expresar el arrepentimiento y de afirmar las relaciones con Dios y con el prójimo dañadas por el pecado.

36. ¿Qué es el purgatorio?

Es la manera de corroborar dichas relaciones después de la muerte cuando uno ha dejado de hacer penitencia en esta vida.

37. ¿Para qué sirve el sacramento de la penitencia?

Para hacer visible y presente la misericordia y el

perdón de Dios. En él el pecador puede unirse fácilmente a Jesús, muriendo al pecado y al egoísmo y resucitando con El a una nueva vida con Dios.

38. ¿Qué efecto tiene el sacramento de la penitencia?

La reconciliación con Dios y su pueblo.

(4) El Cristiano: Servidor y Testigo

No es fácil convertir la fe cristiana en programa de vida. Contiene en abundancia hermosas verdades e ideales sumamente atractivos, pero son con frecuencia tan sublimes que nos anonadan. Sin embargo todos los que creen en Jesucristo saben que deben reorientar su vida de acuerdo con el evangelio. ¿Cómo conseguirlo? ¿Cómo se puede estructurar la actividad y sentido de una vida humana según el evangelio? ¿En qué consiste "ser cristiano"? ¿Qué estilo de vida debe seguir?

A lo largo de los siglos se han dado muy diferentes respuestas a estas preguntas. Una solución favorita ha sido la de imitar al monje del desierto. El cristiano serio quería que su vida imitase la del monje en todo lo posible. Se apartaba lo más posible de los negocios de este mundo. Oraba lo mismo que lo hacían en los monasterios. Ayunaba de manera regular, y se abstenía de las comodidades lo mismo que los monjes. Miraba a su vida como un período necesario de preparación para la vida con Dios en el cielo, y empleaba gran parte de su energía en dicha preparación. De esa forma la fe cristiana se convertía en algo vivo y real.

Sin embargo, hoy es casi imposible apartarse del mundo. Los medios de comunicación y la tecnología nos unen a todos de forma tal que el mundo es siempre una parte importantísima de nuestras vidas. El modelo monástico de vida cristiana no se presta muy bien a esta situación, y por eso, examinando la Iglesia su larga tradición, propone para el hombre moderno otro ideal: el modelo del servidor testigo. Hoy se nos insta a vivir nuestra vida de forma que demos testimonio de Dios prestando servicio a los hombres.

Este modelo pide que vivamos ciertamente en el mundo y por el mundo. Exige que el hombre sirva a Dios mediante su servicio al prójimo. Exige que los cristianos vivan para los demás lo mismo que Cristo vivió y murió por todos nosotros. Esta clase de vida es sin duda muy exigente, pero promete hacer de la fe del cristiano moderno algo vivo y real.

1. **¿Por qué deben los cristianos ser servidores?**

   Porque Jesús lo fue. El propósito de su venida fue para servir (Mateo 20, 25-28).

2. **¿A quiénes se le pide que sean servidores?**

   Jesús invita a toda la Iglesia y a cada uno de sus

discípulos a seguir su ejemplo de servicio (Juan 13, 12-17).

3. ¿Qué significa el ser servidor?

El servidor cristiano, lo mismo que su maestro, se dedica a los demás—se preocupa por sus necesidades y está listo para entregarse a ellos sin reserva.

4. ¿Qué formas de servicio puede adoptar el cristiano de hoy?

Puede servir a su prójimo de forma directa preocupándose personalmente de sus necesidades espirituales, físicas y sociales, o de forma indirecta esforzándose por mejorar la sociedad en que vive.

5. ¿Qué ejemplos se pueden enumerar de este servicio personal?

El cristiano puede servir eficazmente a sus semejantes por medio de la medicina, el cuidado de enfermos, la enseñanza, la predicación, el trabajo social y muchas otras actividades beneficiosas. Puede dedicarse a estos trabajos de forma completa y profesional o de forma limitada y voluntaria, de acuerdo con sus dotes y posibilidades.

6. ¿Qué ejemplos hay de ministerio social?

El servicio a los hombres en la sociedad puede tener lugar en los campos del gobierno, la economía, el derecho, los negocios, la educación, la preservación del ambiente natural, la sanidad pública, y otros muchos servicios especiales que sirven para mejorar la sociedad en que se vive.

7. ¿Deben prestar estos servicios todos los cristianos?

Todos deben ser servidores, pero no es posible que todos sirvan de manera professional. Cada uno debe prestar servicio según los dones y talentos que haya recibido (1 Corintios 12, 4-11).

8. ¿Cómo expresa la Iglesia su carácter de servidora?

La comunidad cristiana sirve a la comunidad humana compartiendo con ella las riquezas de su fe y cooperando en obras que expresan el común interés de todos por el bienestar de la familia humana.

9. ¿Qué es el testimonio cristiano?

Es dar testimonio de la amorosa presencia de Dios en el mundo.

10. ¿Cómo son los cristianos testigos de esto?

Por su misma existencia como comunidad de fe y amor fraternal, por su predicación del evangelio y, sobre todo, por su servicio en pro de los demás.

11. ¿Qué conexión hay entre servicio y testimonio?

Una vida de servicio para los demás es la mejor revelación de la amorosa presencia de Dios en el mundo. La manera en que Dios actúa con los hombres es sirviendo a nuestras necesidades.

12. ¿Por qué es tan importante hoy este testimonio?

Porque el mundo moderno hace que dependamos más unos de otros, y sin la clase de amor que trajo Jesús esta mutua dependencia universal puede fácilmente oprimirnos y destruirnos.

13. ¿Qué se le exige al servidor testigo?

Una actitud abierta sin reservas capaz de abarcar a todos y un desinteresado deseo de relacionarse con ellos.

14. ¿Cómo se consigue esto?

Viviendo en diálogo dentro y fuera de la Iglesia, y trabajando con todos para mejorar la sociedad humana.

15. ¿Qué propósito tiene este diálogo?

La amistad con los demás y tal vez después el amor fraternal que existe no sólo en la comunidad cristiana sino que va penetrando la vida entera de la familia humana. De esta forma el pueblo de Dios, servidor y testigo, se convierte verdaderamente en señal e instrumento de íntima unión con Dios y de unidad de toda la humanidad.

VI

EPILOGO

La Auténtica Verdad Sobre Dios

Y Jesús les dijo: Un hombre tenía dos hijos, y dijo el más joven de ellos al padre: Padre, dame la parte de hacienda que me corresponde. Les dividió la hacienda, y pasados pocos días, el más joven, reuniéndolo todo, partió a una tierra lejana, y allí disipó toda su hacienda viviendo disolutamente. Después de haberlo gastado todo sobrevino una fuerte hambre en aquella tierra, y comenzó a sentir necesidad. Fue y se puso a servir a un ciudadano de aquella tierra, que le mandó a sus campos a apacentar puercos.

Deseaba llenar su estómago de las algarrobas que comían los puercos, y no le era dado. Volviendo en sí, dijo: ¡Cuántos jornaleros de mi padre tienen pan en abundancia, y yo aquí me muero de hambre! Me levantaré e iré a mi padre y le diré: Padre, he pecado contra el cielo y contra ti. Ya no soy digno de ser llamado hijo tuyo: trátame como a uno de tus jornaleros. Y levantándose, se vino a su padre. Cuando aún estaba lejos, viole el padre, y, compadecido, corrió a él y se arrojó a su cuello y le cubrió de besos. Díjole el hijo: Padre, he pecado contra el cielo y contra ti; ya no soy digno de ser llamado hijo tuyo. Pero el padre dijo a sus criados:

Pronto, traed la túnica más rica y vestídsela, poned un anillo en su mano y unas sandalias en sus pies, y traed un becerro bien cebado y matadle, y comamos y alegrémonos, porque este mi hijo, que había muerto, ha vuelto a la vida; se había perdido y ha sido hallado. Y se pusieron a celebrar la fiesta.

El hijo mayor se hallaba en el campo, y cuando, de vuelta, se acercaba a la casa, oyó la música y los coros: y llamando a uno de los criados, le preguntó qué era aquello. El le dijo: Ha vuelto tu hermano, y tu padre ha mandado a matar un becerro cebado, porque le ha recobrado sano. El se enojó y no quería entrar; pero su padre salió y le llamó.

El respondió y dijo a su padre: Hace ya tantos años que te sirvo sin jamás haber traspasado tus mandatos, y nunca me diste un cabrito para hacer fiesta con mis amigos, y al venir este hijo tuyo, que ha consumido su fortuna con meretrices, le matas un becerro cebado. El le dijo: Hijo, tú estás siempre conmigo, y todos mis bienes tuyos son; mas era preciso hacer fiesta y alegrarse, porque este tu hermano estaba muerto y ha vuelto a la vida, se había perdido y ha sido hallado. (Lucas 15, 11-32).

1. **¿Quiénes son los personajes de la parábola de Jesús?**

El padre es Dios, el hijo pródigo es el hombre creyente, el hijo mayor es el que no tiene fe.

2. ¿Qué es lo que dice del padre la parábola?

El padre es generoso—mantiene los hijos y le da al menor la mitad de sus bienes cuando se los pide. También sabe perdonar—cuando el hijo pródigo regresa lo recibe con los brazos abiertos, no le pregunta nada, no pasa juicio alguno, sino que sencillamente abraza al hijo que ama.

3. ¿Qué aprendemos sobre el hijo pródigo?

Que es débil y egoísta, y que quiere seguir su camino. Cuando se da cuenta que no podrá arreglárselas por su cuenta, entonces vuelve a su padre.

4. ¿Qué puede ofrecer a su padre el hijo pródigo?

Nada. Ni siquiera le pide perdón hasta después que su padre le abraza.

5. ¿Qué le ofrece el padre?

Todo. Sale fuera al encuentro de su hijo y no sólo lo recibe en su familia sino que celebra una fiesta en su honor.

6. ¿Qué notamos en el hermano mayor?

No puede aguantar tanta generosidad. Su padre da demasiado. Empieza a hacer preguntas, juzga y se resiente del amor incondicional del padre.

7. ¿Qué lección nos enseña la parábola?

Que somos débiles y egoîstas y que con frecuencia nos empeñamos en salir con la nuestra. Todo lo que tenemos lo hemos recibido del Padre. Nosotros solos no podemos nada. Pero a pesar de eso—y aquí se encuentra la verdad crucial de la fe cristiana—Dios nos ama más de lo que creemos y casi más de lo que podemos soportar.

PROFESION DE FE

Yo, _____, iluminado por la gracia divina, profeso la fe cristiana tal como la enseña y la practica la Iglesia católica.

El Credo de los Apóstoles

Creo en Dios Padre todopoderoso, creador del cielo y de la tierra. Y en Jesucristo, su único Hijo, nuestro Señor; que fue concebido por obra y gracia del

Espíritu Santo; y nació de santa María Virgen;
padeció bajo del poder de Poncio Pilato; fue
crucificado, muerto y sepultado, descendió a los
infiernos; al tercer día resucitó de entre los
muertos; subió a los cielos, y está sentado a la
diestra de Dios Padre todopoderoso; desde allí ha
de venir a juzgar a los vivos y a los muertos. Creo en
el Espíritu Santo, la santa Iglesia católica, la
comunión de los santos, el perdón de los pecados,
la resurrección de la carne y la vida perdurable.
Amén.

Creo que esta es la Iglesia en la que se encuentra la
plenitud de la revelación de Dios por medio de su
Hijo, Jesucristo. Creo que su colegio de obispos,
junto con el Papa, obispo de Roma, como jefe,
continúa ejerciendo en el mundo la autoridad de
enseñar y dar normas morales que le dio Jesucristo a
los apóstoles para la salvación de los hombres.

También creo en los siete sacramentos, señales de
culto por los cuales se nos comunica la gracia de la
muerte, resurrección y ascensión de Jesucristo. Estos
son: bautismo, confirmación, sagrada eucaristía,
penitencia, unción de los enfermos, órdenes
sagradas y matrimonio.

Prometo tratar de comprender, mediante la
oración, la participación en la vida y en el culto de la
Iglesia y continuos esfuerzos, los preceptos de mi fe,
de formar mi conciencia de tal manera que viva de
acuerdo con las doctrinas y prácticas que prescribe
la Iglesia católica para beneficio del bien individual
y general de los fieles.

El Padrenuestro

Padre nuestro, que estás en los cielos, santificado sea tu nombre, venga a nosotros tu reino, hágase tu voluntad así en la tierra como en el cielo. El pan nuestro de cada día dánosle hoy. Y perdónanos nuestras deudas, así como nosotros perdonamos a nuestros deudores. Y no nos dejes caer en la tentación, mas líbranos de mal. Amén.

El Ave María

Dios te salve, María, llena eres de gracia. El Señor es contigo; bendita tú eres entre todas las mujeres, y bendito es el fruto de tu vientre, Jesús. Santa María, Madre de Dios, ruega por nosotros pecadores, ahora y en la hora de nuestra muerte. Amén.